毛 毛

赏读手册

专家推荐

（排名不分先后）

很高兴看到世界经典故事《毛毛》的50周年纪念版绘本引入中国！米切尔·恩德的作品，一向充满哲学意味与思辨精神，他让无数孩子通过生动的故事懂得了"时间"与"倾听"的意义，而绘本《毛毛》的出版让这部经典作品焕发出了新的生命力，值得我们和孩子一起反复阅读与咀嚼。

——聂震宁 韬奋基金会理事长，出版家、作家、阅读学专家

绘本能够通过极少的文字，把平时我们用很晦涩的文字也难表达清楚的东西，让孩子快速领会其内涵。《毛毛》就是这样的哲理绘本。哲理绘本不是为了让儿童洞悉哲学问题，而在于提升其对思考的兴趣，调动其思维，发挥现有的理解能力去发现、去分辨。

——曹文轩 国际安徒生奖获得者、北京大学教授、儿童文学作家

《毛毛》是一部感动人心的经典之作，绘本版更是呈现出了一个充满奇幻与温情的世界。本书图文共叙，深入浅出，贴近儿童生活和心理，精美的绘本插图也为孩子们的阅读带来极大的视觉享受，让孩子们学会关爱他人、珍视友情，更深刻地理解和感受时间的珍贵。对于成年读者来说，这本书具有极高的文学价值和社会意义，让读者在忙碌的生活中找回内心的宁静与纯真。

——王志庚 国家图书馆少儿馆原馆长

时间规划是手段，那么生活的目的是什么？每个人心中都有自己的答案。看了《毛毛》之后，我相信大家就算不知道答案，也能够从中找到自己希望看到的图景。

——马伯庸 作家

毛毛是个天使。我在给我女儿读这本书之前，是这么跟她介绍的。这是一个天使用自己的信念和力量改变了世界的故事。语言隽永，意象美丽，字里行间有自然而然的音乐性。不只是孩子，其实大人也可以看看的。

——笛安 作家

小女孩毛毛的故事，能带给人长久的反思和思考，绘本《毛毛》是可以为孩子的成长搭建"梯子"的好书。

——张莉 鲁迅文学奖得主，北京师范大学教授、文学评论家

画家用富有想象力的画面呈现出毛毛的世界，一个安宁与爱的世界。毛毛，人类的守护天使，她守护着自己的朋友，也深刻地影响了一代代喜爱她的读者。

——彭懿 儿童文学作家、翻译家、学者、摄影家

图画书版《毛毛》是一本能让童书发烧友眼前一亮的作品。整本书以蓝色和黄色为主色调，自始至终带有某种神秘的梦幻色彩，书中的世界静谧而美丽，仿佛被注入了魔法。

毛毛全神贯注地倾听，倾听身边的大人和孩子，倾听动物们，倾听星辰宇宙，倾听自己内心的声音。这种倾听给平凡的生活注入了某种强大的魔法，让看似随意溜走的时间充满了能量和意义，可以释放万物生灵，包括我们自己的无限潜能。

——阿甲 童书作者、译者、研究者与推广人，中国首位艾瑞·卡尔桥梁奖获得者

图画书《毛毛》是那种会让人眼前一亮、爱不释手的书。画面弥漫着幻想的色彩，和恩德的文字交融为一体，图文共同织就出一个令人向往的远方。图画书《毛毛》以其蕴含的哲理意味，丰富了语文教育的内容向度，拉近了低年级孩子与儿童文学经典的距离，而这个故事本身也能给孩子们和关心、关注孩子们成长的大人们更多的现实启迪。

——袁晓峰 儿童文学作家，优秀校长，著名儿童阅读推广人

在浩如烟海的幻想小说中，我偏爱《毛毛》。曾在运河边给孩子们讲毛毛的故事，也曾和儿子多次讨论这本书的意义和价值。毫不夸张地说，这是一部适合9岁到99岁不同年龄的人阅读一辈子的书。《毛毛》绘本版的推出，将会让更多年幼的孩子和家长领略这部经典作品的魅力。"时间就是生命，生命在人心中"，时间、生命、自我价值等哲学追问，是成长中绕不开的话题，绘本《毛毛》提供了一个和5—9岁的孩子讨论此类话题的绝佳底本。

——张祖庆 特级教师，谷里书院创办人

应该是在2003年左右，我读到李士勋先生翻译的《毛毛》。从那以后，我读了恩德被引进和翻译到中国的大多数作品，并深深爱上了他的作品，和他作品中呈现出来的对人性和现代社会

深邃的思考，但图画书《毛毛》还是让我十分惊喜。它以图文结合的方式，完成了一次崭新的、完整的创作。万物以自己的方式讲述着他们自己的故事，毛毛让我们每一个人学会倾听，也帮助吉吉、贝波和我们每一个人回到自己，成为自己。

——徐冬梅 亲近母语创始人，著名儿童阅读推广人

绘本《毛毛》是内卷时代的警钟，每读一次都在猛然撞击：我们被偷走的生命到底应该注入到哪里？

——三川玲 儿童教育作家，百万读者教育媒体"童书妈妈三川玲"创始人，
幸福流全支持读写中心发起人

有个女孩叫毛毛，相信你们都知道她的故事。对，就是那个会倾听的、最终战胜了时间盗贼灰先生的毛毛。当《毛毛》从文字书走向图画书，将会有更多的低幼儿童结识这位新朋友，并跟着她一起去倾听自然，倾听宇宙，倾听他人，认识导游吉吉和清道夫贝波……这个世界的秘密，隐藏在你我心中，只有会倾听的人，才能洞察到这一点。嘘，别说话，让我们打开书，一起去看，一起去听……

——周其星 著名阅读推广人，百班千人读写计划总导师

"时间就是生命，生命在人心中"。当你读完《毛毛》，才能真正理解这句话的含义，理解作者藏在这部批判现实主义小说中的秘密，并从中获得喜悦。图画书《毛毛》的出版，将让更多读者在视觉的冲击中，以更唯美的方式获得这份喜悦。

——吴琳 北京语文现代化研究会副会长，北京市语文学科带头人

米切尔·恩德是我非常喜爱的德国作家，我在读书会、阅读课堂上都讲过他的作品。恩德独特的创作风格和作品中深刻的思想内涵，使他在文学领域一直是非常耀眼的存在，在儿童成长和教育方面，他的作品同样具有深远影响。图画书《毛毛》浓缩了原作的精华，并让我们关于毛毛的世界的幻想有了落脚点；艺术张力十足的画面，可以让读者，特别是学龄前以及低年级的小读者，获得更加丰富、难忘的阅读体验。

——李一慢 北京阅读季金牌阅读推广人

不可思议的小女孩毛毛

——绘本《毛毛》译后记

李士勋

2023 年，是德国作家米切尔·恩德的幻想小说《毛毛》在德国出版 50 周年。为了庆祝这部小说的成功并纪念米切尔·恩德逝世 28 周年，德国蒂纳曼出版社不但隆重推出了这部小说的纪念彩绘版，还推出了这本精装纪念版绘本《毛毛》。

绘本《毛毛》浓缩了小说的精华，主题是"时间与倾听的秘密"。毛毛最擅长倾听别人讲话，她把时间馈赠给别人，然后奇迹就发生了……

绘本《毛毛》的文字部分完全是幻想小说《毛毛》原文的摘录，图画由意大利艺术家西蒙娜·切卡雷利绘制。

恩德与意大利有不解之缘。他把幻想小说《毛毛》的故事发生地放在意大利，开卷就可以看见那里特有的伞松树林和掩映其中的圆形露天剧场废墟。这是恩德给意大利的一份谢礼。西蒙娜·切卡雷利创作绘本《毛毛》，可以看作意大利人在纪念这部小说问世 50 周年时给恩德的一份回礼。

上世纪 60 年代初，恩德的第一部作品《吉姆·科诺普夫与火车司机卢卡斯》就获得了重要的德国青少年图书奖，但一些批评家却指责他的小说"逃避现实""陷于空想""不利于儿童成长"。他极不赞成那些观点，痛感当时的社会氛围妨碍文学创作，因此决定暂时离开德国。1971 年，他和妻子霍卡曼一起移居意大利。

罗马的明媚阳光和朋友的热情好客使他心情舒畅，一扫思想上的阴霾，很快就完成了这部充满幻想，同时也密切联系现实的小说。1973 年，《毛毛》一问世即荣获当年德国图书大奖。这部作品不仅迅速火遍德国，而且很快被译成数十种文字，真正享誉世界了。20 世纪 80 年代，《毛毛》接连被改编成话剧、广播剧并被拍成电影，至今仍畅销不衰。恩德的意大利之行成就了这部名著，他感谢意大利，意大利人也感谢他。

《毛毛》是一个关于"时间"的现代故事，说的是一个来历不明、不知年龄的小女孩突然出现在罗马郊外一个圆形露天剧场的废墟上；她衣衫褴褛，沉默寡言，却擅长倾听，她的倾听有一种魔力，能使天真的儿童变得更快乐，使木讷的成年人思想活跃起来，使反目成仇的人和好如初，因此大家都喜欢和毛毛在一起。但不知从何时起，情况发生了变化。成年人不来了，小孩也不来了。为什么呢？原来是一群灰头土脸、自称时间储蓄银行代理人的灰先生在到处游说，宣传"时间就是金钱"，劝人们为了将来过体面的生活，必须从现在起节省时间，并把节省下来的时间放到他们的时间储蓄银行里去，不但利息高，而且每五年翻一番。只有毛毛不受他们的诱惑，她用"我爱我的朋友，难道没有人爱过你吗？"的反问使一个灰先生精神崩溃，泄露了天机。毛毛成了他们骗人的最大障碍，处于危险之中。时间老人派他的乌龟把毛毛接到时间发源地，让她看到美丽的"时间花"绽放和凋谢的过程，听到震撼人心的静谧之音，认识到"时间就是生命，生命在人心中"。毛毛破解了"时间之谜"，想着要把看到和听到的一切告诉自己的朋友，终于因太累而进入梦乡。一觉醒来，她发现自己仍然坐在露天剧场废墟台阶上等自己的朋友。可是，世界发生了巨变，原来她离开这儿已经一年了。她去找自己的朋友，发现孩子们都被送进名为"儿童之家"的收容所，成年朋友都像得了传染病似的，总是匆匆忙忙，焦躁不安，根本没时间和她谈话。灰先生把清道夫贝波送进了疯人院，让吉吉成了明星，满足了他的虚荣心。灰先生用各种办法孤立毛毛，企图跟踪她前往时间发源地，胁迫时间老人交出人类的全部时间。不过他们进不了时间发源地——从没巷无处楼，毛毛重新回到时间老人身边。但是，他要战胜灰先生大军，也需要毛毛的帮助。他交给毛毛一朵"时间花"，让世界"定格"一小时。灰先生维持生命的雪茄是用偷来的时间花制成的，一旦断供，他们便即刻化为乌有。他们争先恐后地向储存时间花的冷库跑去，在路上互相残杀。毛毛反过来跟踪他们来到储存时间花的冷库，打开了冷库大门，把被灰先生窃取的时间全部放回人间，世界重新变得温暖而又祥和。

不可思议的小女孩毛毛完成了一件不可思议的壮举，成了拯救人类的守护天使！

同样不可思议的是作家恩德竟然在小说结尾的附记中写道，这是他在旅途中听一个旅客讲的故事，那个旅客说，这个故事好像发生过，也可能只有在将来才会发生，然后就下车了。恩德说："假如我碰巧再遇到他，一定要向他提出好多好多问题。"

是的，我也有很多问题，也想问一问：毛毛到底几岁？她的家乡在哪里？她最要好的朋友贝波和吉吉后来怎么样了？"灰先生"是人类吗？时间老人和那只小乌龟还好吗？……

毛毛来到中国的时间是1987年，现在也36岁了，当时的书名是《时间之谜》（和平出版社）。

1999年，二十一世纪出版社买到版权之后，使用我的译本，恢复了原来的书名《毛毛》。迄今，这个译本已经多次再版，加印了50多次。

2015年，在北京歌德学院德国图书信息中心策划的"首届德译中童书翻译奖"评选时，幻想小说《毛毛》荣获大奖，进一步促进了这部批判现实主义的现代小说在中国的传播。2019年，由德国导演吉尔·梅梅特执导，上海"椎·剧场"出品的根据《毛毛》改编的话剧《默默》在国家大剧院国际戏剧季上演，成为这部作品在中国接受史上的一个里程碑。

最近，天天出版社引进了绘本《毛毛》的版权，让我来翻译并让我给读者写几句心里话，我非常高兴，也感到十分荣幸！

　　借此机会，我又读了一遍这部小说，再次对译文做了一些小的改动。我不禁想起，从 1983 年第一次听说《毛毛》这本书并决定翻译，到初版小开本的《时间之谜》和《毛毛》，到与原著相同开本和带有腰封的获奖版，再到今年的豪华纪念彩绘版以及这个大开本的绘本，亲眼看着"毛毛"的成长，36 年弹指一挥间，此时此刻，我甚至也觉得有点儿"不可思议"了！

　　让我们——孩子和成人，与"毛毛"一起成长吧！

2023 年 11 月 13 日于北京

值得从娃娃开始读起并常读常新的《毛毛》

阿甲

（童书作者、译者、研究者与推广人，中国首位艾瑞·卡尔桥梁奖获得者）

意大利插画家西蒙娜·切卡雷利绘制的图画书版《毛毛》是一本能让童书发烧友眼前一亮的作品。它实际上是为庆祝米切尔·恩德的幻想小说《毛毛》出版50周年而创作的纪念之作，书中的文字全部从小说中精心摘选，重新编排成大概适合五六岁以上儿童阅读的文本，并由插画家根据原作绘制相应的图像故事。整本书以蓝色和黄色为主色调，自始至终带有某种神秘的梦幻色彩，书中的世界静谧而美丽，仿佛被注入了魔法。

从恩德的长篇幻想小说中选取文字的是德国作家、翻译家兼编辑乌沃－米歇尔·古茨施哈恩，熟悉恩德小说的读者会知道，这是一件极高难度的工作。当初出版这本书的1973年，本就属于一个节奏相对舒缓的时代，再加上恩德本就是喜欢选择到幻想世界"避难"的极富想象力的作家，他随手就能写下细节十分丰富、情节跌宕起伏的故事，从他的小说中精挑出适合图画书的简短文字，感觉几乎不可能。即便是小说中吉吉为毛毛讲的一则小故事，就足以创作出一本图画书了。

那么，这位古茨施哈恩先生是怎么做的呢？他实际上舍弃了小说中的无数细节描写，小说后面有关时间窃贼灰先生的故事在此也只字不提，而是选择了重点描述毛毛的一种神奇能力——全神贯注地倾听。正是这样一种看似平平常常的能力，让小女孩毛毛成为了某种神一般的存在，乃至最后不可思议地打败灰先生、拯救了全人类！因此，图画书故事收尾于毛毛独自坐在古老的圆形露天剧场的废墟中倾听着宇宙万物。

简单来说，这个图画书版有点儿像小说版的序幕，主要带着读者认识故事的主角毛毛。但有趣的是，插画家从一开始就避免画毛毛的正脸——在书名页只有侧脸；正文一开始，画面中只有她的背影，读者与毛毛一起从拱门里望向外面的圆形剧场。接下去的画面中，毛毛的脸不是被她的头发就是被雨伞遮住一部分，即使在倾听金丝雀时她也是侧着脸；与清道夫贝波坐在一起时，脸露出了大半；直到最后一幅跨页她仰望星空时，读者才有机会从正面清晰地看到她的样貌。西蒙娜为什么要在画面中这样"遮遮掩掩"呢？其实，她小时候就读过这本书，并坦承毛毛的故事塑造了她自己的世界观，所以她对毛毛是很熟悉的；但她选择了在图画书中尽量少让毛毛露脸，就是想给读者留出更多的想象空间，每个读者可以有属于自己的毛毛，对吧？另外，这种富有诗意的神秘感能激发读者的好奇心，让他们在不知不觉间被卷入到那个美丽的幻想世界。

说起这位插画家，她也是一位经历颇丰的艺术家。西蒙娜·切卡雷利在2000年拿到的是米兰大学有机化学博士学位，她最初从事科学研究工作，一直做到了研究所的首席科学家。但从2013

年开始，她转向科学传播领域，兼做文案、设计师和视频制作，一边做创意总监，一边在旧金山艺术大学深造，直到2016年拿到视觉发展艺术硕士学位。至此，她发现自己真正的梦想是画童书，于是华丽转身为童书插画家，并在这个领域成为冉冉升起的国际新星。如此切换人生赛道，一点儿不耽误她有一个美好的家庭，与丈夫、两个孩子一起在瑞士享受生活，他们拥有三种国籍，说着四种语言。

不过，《毛毛》的图画书版邀请一位意大利插画家来绘制，不知是不是基于某种特意的安排，还是纯属巧合？因为《毛毛》的故事背景就设定在类似罗马这样有着圆形大剧场废墟的城市，而当年的恩德怀揣着这个故事创意，和妻子一起从阴冷的德国搬到他俩都很喜欢的气候宜人的意大利。他在迁居罗马郊外的那几年里写完了《毛毛》的主体部分，他曾这样说："《毛毛》是对罗马的一种致敬，标志着我对这座美妙的城市及其令人惊叹的居民们的感激之情。"

幻想小说《毛毛》的写作前后持续了六年，当然，恩德在此期间也做了不少其他工作，这位幻想小说大师其实是在等待这个故事在他心中慢慢成熟，正如小说中掌管时间的侯拉师傅告诉毛毛的那样，要想把美妙的感觉和故事讲给朋友们听，"这得等那些话在你心里成熟才行"。在意大利的生活与意大利的文化深深地影响了恩德，也是在那里，他如有神助地解决了创作《毛毛》时遇到的最大难题：为什么灰先生可以偷走每个人的时间，却无法偷走小女孩毛毛的时间？

你要知道，真正优秀的幻想小说需要构建一个看起来十分"真实"的幻想世界，它可能是人类现实世界的某种映射，但那个世界自身的逻辑结构需要十分严谨，才能让读者在"信以为真"的状态下获得某种切身体验，从而引发深层的思考。遇到逻辑难题时，如果是一个偷懒的作家，可能随便编出一些情节糊弄过去，但换了恩德这样的艺术大师，就会殚精竭虑地探寻答案，而这也正是《毛毛》的整个故事所要思考、探究的问题——关于"时间"的问题。

人人都似乎十分赞同"时间是宝贵的——不要浪费时间"，或者"时间是金钱——节省时间吧"。有时候，人们甚至会将"时间就是生命"设计成标语，张贴得到处都是。可是，你是否发现，当人们争分夺秒地"节省时间"时，属于人们自己的时间反而越来越少了，比方说，拼命工作赚钱的人们走亲访友、陪伴家人、与孩子一起玩耍、与爱侣一起打发时间的机会越来越少了。如原作所讲，"人们似乎并不觉得在节省时间的过程中，实际上省下来的完全是另外一种东西……不过谁也不愿意承认自己的生活变得更乏味、更单调、更冷漠罢了。"那么，问题到底出在哪里呢？

在温暖的罗马郊外，与情投意合的妻子慢腾腾地过日子的恩德突然顿悟：原来，还有像毛毛那样享受时间的生活！灰先生当然无法偷走毛毛的时间，因为毛毛好像根本不在意时间，她是故事中唯一可以放任时间从身边溜走的人。如果一个人从不刻意去抓住时间，你又怎么可能从她身上偷走时间呢？那么，毛毛这样的女孩，到底是怎么"打发"时间的呢？在这本图画书里，其实也是部分浓缩的小说故事里，我们可以看到，毛毛主要在全神贯注地倾听，倾听身边的大人和孩子，倾听动物们，倾听星辰宇宙，倾听自己内心的声音。这种倾听给平凡的生活注入了某种强大的魔法，让看似随意溜走的时间充满了能量和意义，可以释放万物生灵（包括人类自己）的无限潜能，也可以让普普通通的人们感觉生活真的很美好。

恩德塑造的这个理想化的"毛毛"是否纯属子虚乌有？他是否就是编个童话来骗骗小孩子？实际上，早在他在世的年代，有些人就在批评他"逃避现实"，因为现实世界就是一个人们争分夺秒、经济蒸蒸日上的现代化社会，要让大家去学毛毛那样过日子，社会还怎么发展？这么说也不是完全没有道理，但恩德看到了"高速发展"的另一面，就是许多现代人在精神层面上出现的问题，他们在某种程度上可以说"病了"。他希望更多的人看到这样的问题，并努力探寻解决的方案。比如在原作中，他让那只带着毛毛摆脱灰先生疯狂追踪的神奇乌龟向读者演示，其实有时候，"慢慢来，比较快"！

如果你愿意先让自己稍微慢下来一点，然后开始思考毛毛这种生存状态的合理性，你就会发现，其实毛毛并不是不在乎时间，她在乎的是用这些时间来做什么。比方说，她最在乎的是与大朋友、小伙伴，甚至与动植物、日月星辰一起分享时间，她随时拿出"自己的"时间去倾听别人的倾诉，人们在这种极其放松、没有时间压力、毫无拘束的倾谈和聆听中获得了完全的释放，误会被解除、烦恼被驱散，任何古里古怪的念头都被包容，并且转化成无穷的创意。人们接纳了自己，也就接纳了整个世界。这样的一种状态，用当下比较时髦的一种说法，就是"正念"。这里面包含了一种觉知的力量，当人们重新回到自我觉知的状态时，可以感受到自己的真实需要，可以感受到自己与大自然的连接，还有与芸芸众生之间的连接，当然，最重要的是与自己的家人、亲密伴侣之间的连接。只有当你切实地感受到这些连接之后，时间才会真正属于你，充满了力量和意义，而且谁也无法偷走。

《毛毛》的确是一部美丽的童话，也可以说是幻想小说。但它也是一部富有启示的寓言，一本富有诗意的哲理书。50年前，顿悟后的恩德将他的感悟分享给芸芸众生；50年后，我们发现，故事中所传递的信息变得更有价值。如今这个"如魔法般美丽"的图画书版虽然只是截取了部分信息，但它将适读年龄降低到五六岁，而且保留了最重要的提醒："时间就是生命，生命在人心中"。

作为小说《毛毛》的发烧友，可能会遗憾图画书中缺席了毛毛与灰先生那一场决定人类命运的精彩决斗，但如果细看画面，你会发现那些西装革履、戴着圆礼帽、夹着公文包、抽着时间雪茄的灰先生已经侵入了人们的生活，时时刻刻伺机偷取人们的时间。千万要警惕，请与孩子一起揪出那些灰先生吧！

珍惜生命，珍惜让生命获得绽放的时间！

2023 年 12 月 4 日于北京

看见你的时间之花

午庚

（中央美术学院艺术史博士，专注当代艺术实践与写作）

《毛毛》绝不只是送给孩子的绘本礼物，就像米切尔·恩德从不认为自己的作品是儿童文学一样。《毛毛》让孩子和成人都参与其中，亲眼目睹属于每个人的时间之花。最妙的是它不追寻、不教导，只邀请你进入，让你自己去经历、去感受。你觉得哪些时刻稍纵即逝，哪些时刻又漫长难挨呢？当你跟随毛毛的眼和心去"倾听"，会不会在天马行空的想象中突然照见自我，像毛毛的朋友和那座城市的居民一样重新深思：在这样的时代里，到底什么样的存在状态值得我追求？

绘本《毛毛》邀请了著名插画家、艺术家西蒙娜·切卡雷利创作插画。作为曾经的科研工作者，她对抽象概念敏锐独特的理解成就了这本书与众不同的艺术性。她以奇幻、可视的方式讲倾听、讲时间，让我想起科学领域中的"涌现（emergence）"现象：如果用显微镜观察湿衣服，衣服上并不存在"湿"这种东西，只看到水分子。"湿"就是许多水分子"涌现"出的超越自身的"新东西"。绘本《毛毛》恰是如此：文字与画面互动、画中细节彼此互动，一页页"空间"竟然就涌现成"时间"！

最明显的是光线颜色：微微泛红的晨曦，明晃晃的午后阳光，争吵不休的阴雨天；当一群人围在毛毛身边，墙上一条小小的影子掉转方向，透露出一整天就这么过去了；昆虫展翅的细微动作被一格格连续画面框起放大，还有我们习以为常的星轨……这些可不就是时间的轨迹！只要用心感受，每幅画里都看得见"时间"。简直像被画家带回有日历和时钟之前——人们根据太阳和月亮的交替、阴影位置、运动轨迹等感知无形的时间流逝。

毛毛倾听的不止是人们的声音，画中不想唱歌的金丝雀、林间飘落的树叶、指尖飞走的小瓢虫、旋转的夜空……万物都以自己的方式讲述着自己的故事。所以，导游吉吉和清道夫贝波的"时间"是不同的。

吉吉的那些几天甚至几周都讲不完的故事，原作用了三四页篇幅来描述；在绘本《毛毛》中，画家则用三重空间、三种视角来呈现这一切：近处俯视的是女王为不断长大的鲸鱼修建的圆形大鱼池；远处仰视的是暴君卡姆努斯逼迫大家制造像地球一样大的地球仪；中间平视的是现实——圆形露天小剧场的废墟，插画家把它作为地平线，同时也作为一个故事中的大鱼池和另一个故事中的地球仪底座。想象力不受时空限制，整幅画不仅模糊了幻想与现实的边界，甚至无缝交融，也仿佛过去、现在、未来同存此处。

贝波的时间则像大树和停下的脚踏车一样安静，根钻进石头缝，连风都停了。这是贝波回答

10

别人问题需要的时间，也是只有毛毛才愿意久等的时间。贝波每日清晨打扫的城市街景，如果细看就会发现根本不符合正常透视，反而像埃舍尔创造的不可能空间。房屋颠倒、翻转；道路弯曲、变形，不知从哪里来，也不知通往何处。这是贝波对那段时间的感受："长得可怕，一辈子也扫不完。"但当他不再想着整条街，不再想着快点儿扫完，而是只想着下一步、下一口气和下一扫帚时，就不觉得可怕了。画面也跟着贝波换了视角：从高空俯瞰一小段路，仿佛在提醒我们换个角度看待"节省时间"这一问题，专注当下就可以得到它。

同样是变形空间，变形的城市如同每天重复经历又神秘莫测的时间，变形的露天剧场则成为孩子们想象力的化身。无聊的不是日常生活，而是忘记倾听万物的日常生活。在孩子们全神贯注游戏的时间里，石阶变成波浪，石头里仿佛生出海洋，生出乘风破浪的航船。这也让我感到，出于匮乏、焦虑、恐惧去行动，和出于满足、快乐、爱去行动，是多么不同！

我们每个人身上都有孩子气的一面，如果一无所知、全神贯注地观察和感受，你还会认为时间是可以测量、可以节省的吗？还会觉得时间就是过去、现在、未来一条线吗？每小时、每分钟、每秒，都可以是你生命中最美丽的时刻，就看你怎么度过它。因为"时间就是生命，生命在人心中"。就像米切尔·恩德没有因为"逃避现实"的批评而放弃幻想文学写作，就像西蒙娜·切卡雷利为儿时梦想转向艺术创作，当我们明晰内心的道路，就更有力量在现实中生存。

也许，我们最好不是去震惊世界，而是生活在世界上。

倾听与用心的力量

冷玉斌

（全国优秀教师，百班千人读写计划总导师）

我大概是在 2000 年前后读到小说版的《毛毛》，在我印象中，它真的就是一个"时间窃贼和一个小女孩的不可思议的故事"。直到今天，我仍然记得第一次读到"然而时间就是生命。生命却在心中。所以人们越是节省它，他们拥有的就越少"，陡然心惊——仿佛一下子明白了什么，又不知道到底明白了什么。

一转眼二十多年过去，这中间与学生一起读书，不止一次重读《毛毛》，最初的震撼少了，对"时间"的警觉却从未改变。是的，守护自己的"时间花"，这是每个人都需要付出的努力。

西蒙娜·切卡雷利所绘的图画书版的《毛毛》，非常忠实于文字版原著。故事从毛毛突然出现在圆形露天小剧场开始，接着，毛毛成了人们最需要的人，这倒不是因为她绝顶聪明，而是她能做到别人做不到的事情——"倾听"，独一无二的"倾听"。在对毛毛的倾听描述之后，吉吉与清道夫贝波登场，吉吉有一张令人难以置信的巧嘴，而贝波则拙于言辞，很少说话，"有时候，他会想一两个钟头；有时候，他会想一整天，然后才回答人家"，但是，这两个如此不同的人，竟然能成为好朋友，这当然得归功于毛毛的倾听，让两个人都能感受到被理解、被尊重的温暖。图画书结束在毛毛的一段想象里，她觉得自己"仿佛坐在一个倾听着宇宙万物的大耳廓中间"，在这样的夜晚，她往往会做特别美的梦。

对于图画书《毛毛》，在我看来，尤其值得欣赏的是西蒙娜·切卡雷利的绘画，欣赏绘者通过怎样的构思、造型，以及场景、动态等设计，将这样一本经典童书由文字转化为图像。切卡雷利做得特别好，打开书就能看到她以油画般的质感、丰富的色彩、温柔的画风，还原了毛毛与朋友们最初的生活情景。只要挑出毛毛形象的绘制，来一番图文比照，就可以感受到这一点，原作中是这样描写毛毛的：

> 她的头发乱蓬蓬的，是沥青般的黑色鬈发，乍一看，好像她从未梳过头，头发也从来没有剪过似的；她的眼睛很大，很美丽，也是乌黑乌黑的；脚也是黑的，因为她几乎总是赤着脚……她的裙子是用五颜六色的布块缝起来的，很长，一直拖到脚后跟。外面套着一件肥大的男夹克，袖口向上面挽了好几圈。

让我们翻到扉页，看看切卡雷利画笔下的毛毛，如果她不是毛毛，谁是毛毛呢？即便只是一个侧影，毛毛在故事里那种敞开心胸对待所有人的坦诚与善良，也已得到体现。

接着往下读，画面呈现了毛毛在圆形露天剧场倾听人们讲话的场景，这些画面写实而又梦幻，写实的是场景，梦幻的是色调；再往下，是孩子们来到剧场废墟里游戏的情节，这几幅画面奇幻而浪漫，特别是孩子们尽情游戏的那一页，画面中央出现一艘战舰，废墟中生出可怕的卷曲的粗壮海藻，毛毛在舰首指向遥遥远方，天空的风与海面的浪都像凝固一般，这完全是想象中的情形，虚实交织，妙不可言。仔细看，这艘战舰是有名字的，"ARGO"，阿耳戈号，正是希腊神话中，伊阿宋、赫拉克勒斯等英雄驾驶的寻找金羊毛的那艘冒险之船。这些情节本是原著所写，切卡雷利吃透了原著，并用她的画笔完美重现了纸上风暴：

其是那里还有一种"永恒的台风"，那是一种永不停息的大旋风。它不停地在那片海域上游荡，简直像一头凶猛而又狡猾的野兽在不断地寻找着猎物。

与此类似，表现吉吉讲故事的那一页也是天上海里，雄奇壮观。但在关于贝波的那些画面里，你会发现更多现实主义的表达，清扫街道就是这样一份平凡而单调的工作，不过，即使如此，贝波仍有自己的发现与大智慧。这一点，你试着找找看。

切卡雷利曾从事科学研究工作，最终在儿童插画中找到了自己的乐趣，实验室的白大褂也换成了画笔，作品已多次获得博洛尼亚最佳童书奖，为《毛毛》所绘的插画，又一次展现了她的画功与风格。

当然，我们不能忘记恩德的故事。图画书《毛毛》的主题是"倾听"，那么，在阅读中，最应该思考的也就是关于"倾听"的话题：什么是倾听？为什么要倾听？该怎么样去倾听？

这些问题问出来，并不是要所有读者给出一个刻板的回答，而是要在故事中看见毛毛的"全神贯注"还有"耐心"，无论这些内容是文字建筑的，还是绘画呈现的。在看见之后，是不是就足够了呢？那也不尽然。这本图画书结束得恰到好处：

……那就试一试吧，看看自己是不是也能做得那样好。

没错，从毛毛的"倾听"，可以来到自己的"倾听"。自己是不是一个善于"倾听"的人，倾听过谁，又或者被谁倾听过？等等。其实，也许不需要这么刻意来问，此时此刻，静静阅读图画书《毛毛》，会不会就是一种"倾听"呢？一页一页又一页，好像贝波清扫他的街道，"迈一步——喘一口气——扫一下"，只要想着下一页、下一页，就能很好地把它读完，就能走好自己的路。

"万物都以自己的方式"向所有人讲述着自己的故事，图画书《毛毛》也是，用你的耐心，用你的专注，仔细品读，大概，你就找到了对这本书，最好的也是最特别的倾听方式。